Gallery Books
Editor Peter Fallon

THE TALK OF THE TOWN

THE TALK OF THE TOWN

POEMS IN IRISH BY

Caitríona Ní Chléirchín

TRANSLATED BY

Peter Fallon

The Talk of the Town
is first published
simultaneously in paperback
and in a clothbound edition
on 23 April 2020.

The Gallery Press
Loughcrew
Oldcastle
County Meath
Ireland

www.gallerypress.com

ISBN 978 1 91133 788 1 *paperback*
978 1 91133 789 8 *clothbound*

A CIP catalogue record for this book
is available from the British Library.

The Talk of the Town receives financial assistance
from the Arts Council.

THE TALK OF THE TOWN

Clár

Contents

for my father Laurence,
and my late mother Vonnie

'Bíonn Laethanta Ann . . .'

Chan é go bhfuil cónaí orm
in uamhach in aice le tobar fíoruisce
taobh le caisleán i m'aonar
ná go bhfuil mé ceilte ar an domhan
ach mar sin féin bíonn laethanta ann
go mbraithim chomh huaigneach
léi siúd, Banríon an Uaignis,
go luath ar maidin agus go mall san oíche
ag triall ar an tobar léi féin.

Bíonn laethanta ann nuair a bhraithim
go gcaithfidh mé a bheith i mo bhanríon
ar an uaigneas i gcónaí.
Corruair, oícheanta earraigh,
tig suaimhneas orm

ach bíonn laethanta ann
nuair a bhraithim
go bhfuil mé ag labhairt ó bhun na habhann
is nach gcloiseann éinne mé
is an cumha a bhraithim,
níl léamh ná scríobh ná insint béil air.

'There are Days that I Feel . . .'

Not that I've taken to living
in a souterrain by a freshwater well
in the palace grounds, all on my own,
or even that I'm steering clear of the world,
but, it's true, there are days that I feel —
oh — as lonely as she, her highness,
Queen Loneliness, as she makes
her way to the spring, and she alone too,
first thing in the morning, last thing at night.

There are days that I feel
I must myself become a queen,
one with a sempiternal sorrow.
On spring evenings the odd time
a stillness comes over me,

but then there are those days that I feel
my voice, one that no one can hear,
travels up from the murk of a river in spate,
and I feel a soreness
none could read or write or ever relate.

Droim Searc

i gcuimhne ar mo chéad ghrá

Pógann gaoth an tráthnóna
béal mo chuimhne
le deora meala
is ólaim spéir.
Luím leat arís, a lao ghil,
ár gcolainn faoi bhláth
mar réalta
curtha
ar bhrat an fhéir.

Drumshark (The Ridge of Love)

remembering my first sweetheart

Wind in the evening
kisses with honey
the mouth
of my memory

and I imbibe
the sky.
Once again with you,
mon amour, I lie,

our bodies in bloom
like a mass
of stars planted
in a mantle of grass.

Coigeal na mBan Sí

Tá coigeal ag an bhean sí
amuigh ar an abhainn i ndraíocht.
Coiglíonn sí chuici a conlán féin
ag sníomh
le snáth na cinniúna.
Choigil sí chugam aréir
d'aghaidh a bhí faoi cheilt orm le fada —
ach a shníomh le mo bhrionglóid
arís . . .

Reed Mace, Cat's Tail

Or bulrush
(and, literally,
the spindle
of the banshee)

adrift on the enchanted
river gathers closely
the harvest
of her destiny.

Only last night
she showed to me
that face that was
concealed from me —

your face —
since God knows when
but that now came
into my dream. Again.

Béchuil

An samhradh gur éag tú
chonaic mé romham
san aer ag eitilt
béchuil ghormghlas

i ndraíocht an tráthnóna
sa ghrian
i bhfaiche Choláiste na Trionóide.

Dhá phéire sciathán caol
agus í ar fos
anois spréite amach
colainn fhada mar a bheadh snáthaid mhór
ag cleitearnach.

Sa mhachnamh dom, bhraith mé
gur tusa a bhí ann
i do theachtaire ón saol eile.

Damselfly

That summer you died
I saw before me
a damselfly — aquamarine —
on the playing fields of Trinity,

in afternoon sun
a spell cast,
parallel pairs of threadlike
wings now at rest,

a long body as straight
as a knitter's
needle;
then flutters and flitters,

and it gave me to think
of a herald,
that you were one sent
from the other world.

Clapsholas i nGort na Móna

I nGort na Móna
agus solas an lae
ag éalú
is na scáileanna á bhfadú féin,
i ndeireadh mhí na Bealtaine,
níl insint ar áilleacht
an bhaile
in achan radharc ó achan fhuinneog,
in achan treo.

Séimhe na gcrann,
glas, glas, glas.

Solas dheireadh lae,
solas síodúil,
glas-síodúil.

Éalaíonn lon dubh óna nead,
eitlíonn féileacán romham,
bláthanna fiáine san fhéar fada.

Glas-solas síodúil na gcrann,
ciúin, séimh, maorga.

Duskus, Gortmoney

Gortmoney, bog field,
and day's light slipping away,
darkness stretching.
It's the back end of May.

And there's no saying
the home place's
allure, from whatever window,
wherever one faces.

Gentle the trees,
green, green, green.

The light at day's end
a silken light,
silken and green.
A blackbird in flight

from her nest,
before me
a flutterby.
In grassy

abundance, wildflowers.
Silken green light aloft
in the trees — stately
and hushed and ever so soft.

Tar Liom, a Ghrá

Tar liom, a ghrá, amach ar na bánta,
amach ar bhánta an earraigh.
Déanfaidh muid leaba luachra sa ghleann;
luífidh muid, seal, faoi chantain na n-éan.

Tar liom, a ghrá, amach ar na bánta
óir ní fothain dúinn, ní foscadh
ballaí an tí seo agus racht
an bhróin istigh dár bplúchadh.

Cluinim ceiliúr do cheoil i mo chluasa,
is mian liom imeacht leat,
druideanna is cuacha ag eitilt romhainn:
Cluinim scairt na machairí orainn, na cnoic.

Come Away with Me, Darling

Come away with me, darling,
out into the fields, into spring
pasture. We'll make a reed bed
in a hollow and lie there a while
under a sky loud with birds' singing.

Come away with me, darling,
out into the pasture, for there's no, no
shelter for us from the walls of this house
(there's no screen at all), and the both
of us bent beneath a downpour of sorrow.

I hear nothing but it, your birdsong,
and I long to flee with you,
with starlings and cuckoos on the wing
before us, the lowlands and highlands
insisting both that *I* be with *you*.

Cogarnach

Uaireanta tuirsím
de bheith i mo bhean,
den tóir nó den neamhaird
a dhéantar orm.

Tuirsím
den chur i gcéill,
de rudaí de shíor
á gclúdú.

Éirím tuirseach de scátháin,
de shúile, de shrac-
fhéachaintí,
den síorlorg sa dorchadas.

Tuirsím
de chliabháin éin,
de na rúin,
den fhanacht.

Tuirseach de m'aghaidh,
de mo chuid gruaige,
de m'ingne, de mo choim
is de mo dhá chromán féin.

The Talk of the Town

From time to time I just
get tired of being a woman,
the cuts to the chase I've to put
up with, and then inattention.

I tire of constant
pretendings,
charades
and the concealment of things.

I grow tired of mirrors
and endless looking on,
stares and searches
when the light's gone.

I tire of clap traps
and mist nets,
of biding my time
and of secrets.

I'm tired of how my face
feels, and my fingertips,
my hair, my waist,
my very hips.

Spealadóireacht

Chuirtí
faobhar ar speal
le cloch líofa, tráth,
a leagtaí faoi cheilt
faoin drisiúr
ar eagla go ndéanadh
leanbh conamar de.

Inniu, níl speal, ná cloch faobhair,
ná drisiúr ann a thuilleadh,
níl againn ach conamar na gcuimhní.

Mowing (with Scythe)

There was a time
you'd hone
a scythe
with a sharping stone

that would be kept
stashed
under the dresser
for fear it be smashed

by one of the children.
Now there's neither stone
nor scythe. And as for the dresser?
Whereabouts unknown.

Nothing but these
smithereens in our memories.

Muirleannán

Léigh mé d'ainm i muirn na dtonn
i d'uireasa, faoi gheasa
ag fear na mara, Muirgheis,
muirgheilt mo chroí.

Léimim isteach sa mhuir, nocht.
Ar mo chraiceann, tonnta, úire,
ar mo cheathrúna, slaparnach,
thart ar mo chosa, lapadáil.

Téim ag iomlasc san uisce,
an mhuirgheis thart ar mo cholainn
iomlán, téim ag snámh
is buaileann cuilithíní mo mhása.

Ní bhraithim pian mar é,
anois mo leiceann deoirfhliuch arís,
stoirmshuaite
ag cóbailt na farraige.

Poisíodón ba ea thú,
Neiptiún nó Manannán
ba ea thú i mo shúile,
a mhuirleannáin.

My Man of the Sea

I read your name
in the crashing waves
as I pine
for you, my heart made astray
by the charm of a sea-man.
It's lost to the brine.

I plunge into the deep,
undressed and undone.
A fresh surprise
as billows break on my body,
on my legs, as they lap
around my thighs.

In the water I wallow,
in every pore
its spell's uplift.
Again and again
my buttocks bash
against spindrift.

Nothing hurts like it.
My cheeks smart,
my eyes blur
with salty tears, storm-
thrown, cobalt of the surf.
To my eyes you were

my own Poseidon,
my Neptune, my Manannán,
god of the sea —
until up and off with you,
my all and everything,
who melted away on me.

Bean Róin

In uisce tanaí an chósta
nó i nduibhe na mara,
fanann sí ort, a iascaire —
Tá agat, bean róin,

bean a fhanann ort
is a ghlaonn chugat
is a sceitheann a cóta,
Lá Fhéile San Eoin.

Selkie

At low, low tide
or in the depths of the sea,
she's waiting for you, fisherman —
she's there for you, a selkie.

A woman waiting for you
who is leading you on,
who'll shed her skin for you
on the Feast of Saint John.

Loch Thulaigh

Gháir an chorr réisc,
scréach an ghé fhiáin
ón chrannóg i lár an locha.
Fearthainn an tsamhraidh
ag titim go mall
ar Mac Cionnaith
ina chaisleán uaigneach ar bhruach an locha,
faoi léan ag caoineadh
a mhná is a chlainne,
thíos faoin choipeadh cúir.

Níl fágtha aige ach fead na feadóige,
meigeall an mhionnáin aeir,
scréach ón ghé fhiáin
is plubarnach na gcearc uisce,
an duibhéan ag faoileáil thart air,
deora a chinn á dtaoscadh i Loch an Bhróin aige.

Tully Lough

The crane's *krank*,
the wild goose scrake,
from beyond a *crannóg*
in mid-lake.
Summer rain
spits on McKenna,
desolate chief in a fortified home,
withered by grief
for his wife and their care,
a household under froth and foam.

Nothing left to him now
but the plover's *too-lee*,
the snipe's *sccaap*,
the moorhen's gurgley
and that wild goose scrake,
cormorants circling over above him,
a torrent of tears
spluttering in to Sorrow Lake.

Scaradh na gCompánach

Labhrann Caitríona, Cuntaois Thír Eoghain

Ar bhruach na Feabhaile, tuar
a tháinig chugam i dtaibhreamh.
Glaoim chugaibh, a fheara, d'impí,
an t-imeacht seo, ní tairbheach.

Mar a scaiptear deatach,
is amhlaidh a scaipfear muidne
mar chéir i láthair na tine,
is amhlaidh a leáfar.

Insint ag caoineadh gaoithe
ar a bhfuil i ndán dúinn,
sa leabhar ag an fhiach dubh,
é sin, nó i dTúr Londan.

Mo mhac óg, mo mhuirnín Conn,
mo leanbh féin, mo laochsa,
gan é ach cúig de bhlianta faram,
is gach aon snáth le réabadh.

Fonn a bhí orm, an chéad lá riamh,
éirí den turas go Ráth Maoláin:
ach chuir m'Iarla orm gabháil ar aghaidh
is ár mac a fhágáil faoi láimh an Ghaill.

The Parting of the Ways

As spoken by Catherine O'Neill (née Magennis), Countess of Tyrone

On the Foyle's riverbank a foreboding
came on me, and I fitfully sleeping.
Men, I pray and plead with you,
what's the good in this going?

Just as smoke can be scattered,
so we'll be dispersed.
Like wax by hearthside
we'll come in to our worst.

A keen wind will report
what's in store as it rages,
in London's Tower,
or through the raven's pages.

My youngest son, my darling Conn,
child and hero heaven-sent,
with me a mere span of five years:
now each and every tie's to be rent.

To abandon the trip to Rathmullan
was from the start my most ardent wish
but he, my own Earl, forced me to proceed
and abandon our son to the grip of English.

Cealg

Ba bheach i mo chroí thú.
Tháinig tú amach ag bláthú tríd mo chíocha,
is ba chealg mhilis iad na póga,
cealgphógadh do mo chealgadh.

Phrioc tú mé
le briathra míne.
D'eitil mo chroí
is lúb mé fút i mo bhláth dom, i mo ghas.

D'oscail tú mé
i mo dhoras meala
is d'ól tú uaim
gach aon mhilseacht.

Anois tá mo cholainn breactha
le cealga gormdhearga,
buailte le seodchealga corcra,
clúdaithe le baill fuatha, baill seirce
ó bharr go sáil.

Sting

You were a bee in my heart.
You loomed through my breasts
in full flower, your kisses like sweetened stings.
Your sting-kisses deceived me completely.

Your soft talk won me
over. Up flew my heart
as you snared all of me,
bloom and stem.

You prised open
my honey portal
and sucked all of the sweetness
from me. Now my body's

left spattered with purple stings,
battered and bruised with baubly stings,
covered with love bites and hate marks
from head to heel.

Muince

1

Tá muince álainn déanta agam
de na péarlaí nimhe seo
a bhailigh mé uait go cúramach.
Lonraíonn siad ar mo chraiceann.

Tá slabhra acu thart ar mo mhuineál.
Dónn siad ionam, ach is muince maslaí é
an mhuince álainn seo, is tá crúba na bhfocal
greanta ag gach péarla ionam go cnámh.

Screadann tú orm go tobann
is briseann an slabhra ar an urlár.
Titeann na péarlaí go talamh
is cuirim i dtaisce arís iad,
na seodmhaslaí seo.

Tá fearg ort liom.
Ardaíonn tú do ghlór.
Béiceann tú orm is
tá doras á lascadh.

In ainneoin go siúlaim
ar bhlaoscanna uibhe lá i ndiaidh lae,
tá rian do lámh ar mo ghrua dhearg
is stráice de mo chuid gruaige i do ghlac.

Torc

1

I have fashioned an exquisite torc
out of the pearls of poison
I gathered with such care
from you. They shine on my skin.

Linked round my neck they prompt
a burning sensation in me,
and this exquisite torc is a strand
of affronts and indignity.

The words' talons and claws
are etched by every
pearl into my bone. You scream
at me impetuously

and the chain shatters on the floor,
the pearls clatter to the ground
and I place these years of offence
where they won't be found.

You're in a rage with me.
First a raised voice, then a yell
and the slamming of doors,
then my eggshell

tread, day after day,
and on my flushed cheek the brand
of your fist, and a clump of my hair
yanked out in your hand.

2

Maslaíonn tú mé le do shúile.
Cuireann tú síos orm le focla géara
cuirim i bhfolach iad
i nduibheagán mo chroí.

Ansin i ndorchadas na hoíche,
tógaim amach arís iad
is gortaíonn siad athuair mé.

Aimsím blianta níos déanaí iad
i leabhair nótaí is i ndialanna.
Ólaim iad is ithim iad.
Slogann siad athuair mé.

3

Fanann siad liom lá is oíche.
Filleann siad orm i mbrionglóidí.
Déanaim iad a bhá is a chloí,
blianta de mhaslaí.

Tugaim an chluas bhodhar dóibh
ach is doiligh a bheith saor
ón namhaid beag istigh.

2

With a look you abuse me.
You've mastered the art
of a put-down with words.
At the bottom of my heart

I hide them away
until, in the darkest dark,
I take them out once again
and again they leave their sore mark.

Years later they smack me
again, in notebooks, a diary.
I'm meat and drink to them.
Once again they consume me.

3

Night and day they stay
with me, vile souvenirs.
In dreams they return. I try
to suppress in fire and water these years

of insults. I learn not to listen
but it's hard to be free
from that niggling fiend
that's buried in me.

Cluain na hEorna

I gCluain na hEorna dúisíonn na smólaigh
san fhéithleog sna hEanaigh Gheala,
éiríonn an bhrídeach sí,
sioc bán ar talamh mar shrólmhín is síoda uirthi.

Filleann an bonnán buí
athuair ar an chluain,
tionlacan cheol na ngiolcach
taobh an tsrutháin.

Éiríonn sí leis na fuiseoga le breacadh an lae.
Téann sí faoi cheilt sna fearnóga.
Eitlíonn sí thar an mhuine bheoláin,
machairí thíos fúithi.

Filleann sí san fheascar, an bhrídeach sí,
le fuineadh na gréine.

Barley Aftergrass

They're stirring in the barley
aftergrass, the thrushes,
in the climbing plants
in glistening marshes.

And up she gets,
the fairy bride.
Like the sheer satin and silk
she wears, white

frost's upon the ground. Again,
with its return
to long grasses,
reed music plays beside the bittern

by the stream side.
And up she gets — from the scrake
of day — who will
furtively make

her way under cover of the alders,
over the brushwood, the fairy bride,
and plains below,
every day, at eventide.

Nuair a Fhágann Tú Mé

ní ann dom a thuilleadh.

Bhlais mé bláth
a chuaigh go fíochmhar ionam.
Chaill mé laethanta.
Chaill mé an ghrian.
Las d'aghaidh le fuil
agus bhlais mé an scáth arís
le claíomh
a chuaigh go géar
trí mhacallaí mo chuislí.

Do theith mé
arís is arís eile
tríd na foraoiseacha
is na fásaigh
is d'fhill mé ort
is do luigh gortaithe
aghaidh le talamh
is thóg mé thú
i mo bhaclainn.

When You Go From Me

I am a thing of nothing.

I sampled a blossom
that ripped into me.
I lost day after day.
I lost the sun suddenly.
Blood shot your face
and again in floods
I tasted the shadow
slice through echoing bloods.

I fled time and again
through forests,
wilderlands
and other wastes,
then came back to you,
hurt in a heap, face
to the ground, and I swaddled
you in my embrace.

Amharc Orm

Amharc orm le do shúile dorcha
is beidh mé caillte go deo
ar fánaíocht fríd an lae
ag blaiseadh sioc na maidine ar mo bheola
i bpéarlaí.

Is tá sé ceart go leor
má théann an tsaighead go géar isteach i mo chléibh.
Tá mé réidh.
Amharc orm.

Look at Me

Look at me
with your dark eyes
and you'll send me astray,
for all time lost,
the whole day
long, tasting morning's frost

on my lips in pearls.
And everything will be
all right if the arrow
pierces me deeply.
Bring it on!
Look at me.

Cuimhne

Tá cuimhne ag mo bheola ort,
cuimhne ag mo lámha ar do chneas,
mo shúil ar do shúil,
seanchuimhne ag mo ghéaga ar do cholainn
is do ghéaga thart orm.

Tá cuimhne ag mo lámh ar do lámh,
tá cuimhne ag mo ghrua ar do phóg,
cuimhne ag an uaimh istigh ionam ort —

is cibé ar bith eile a tharlóidh,
tá cuimhne ag m'anam ar do ghrá.

Remembering

My mouth remembers your mouth,
my hands remember the feel of your skin,
my eye recalls your eye,
and my limbs have an abiding memory
of your body
and your arms wrapped around me.

My hand remembers your hand,
my cheek remembers your kiss,
the opening inside me remembers, remembers —

and my whole being puts together again
your love, whatever else might happen.

Chuaigh Mé do Do Lorg

Chuaigh mé do do lorg
i nDoire na gCosán,
i nDoire Shaileach,
i nDoire Chaoch
is i nDoire na Sealg.

Chuaigh mé do do lorg
ó Thír na Néill go Baile Oisín,
ón Droichead Gorm, go hInis Dhubh Linn,
i nDomhnach idir Dhá Mhóin.

I bhfís san oíche,
chonaic mé an bhrídeach sí
is Mac Cionnaith ar a chapall bán
ag teacht fána déin go Caisleán Ghlas Locha.

Chonaic mé taibhsí uaigneacha faoi ocras
ag tógáil balla, aimsir an drochshaoil.
Chuaigh mé suas ar an Lios Buí,
go Cor na Craoibhe, go Cor a' Chrainn —

ach amharc ní raibh
ort féin, a stór.

I Went Out to Find You

I went out to find you
in Derrygassan,
in Derryshillagh,
in Derryhee
and in Dernashallog.

I went out to find you,
all the way from Ternaneill,
from the Blue Bridge to Ballyoisin,
to Inishdevlin,
in Donagh and the two bogs between.

That night I was seeing
things. I saw the fairy
bride, and Chief McKenna astride
his grey coming for her
at Castle Leslie.

I saw hungry ghosts
wandering alone,
erecting a wall in the bad times.
I went above to Lisboy,
to Coracrin and Cornacrieve —

but there was no sign of you,
no sign, my love.

Cogar, Cogar, a Stór

Na focla is ciúine,
síoda sí,
líonta le rúin
a shníonn
macallaí
a shoilsíonn
scáileanna.
Cogar, cogar, a stór,
d'ainm i mo chluas go síoraí.

Shh. Whisper, My Love

What you'd whisper
least loudly
is fairy silk,
brimful of mystery;

echoes cascade
to inflame
the dark. Whisper, my love,
till time's end your name.

Nóiméad ar Maidin

Boladh na hiarnála,
ar maidin i d'árasán
i gCé Hanover.
Tusa i do sheasamh ag an bhord
ag smúdáil
do léine ghlan
fá choinne na hoibre
is mé ag amharc ort.

Gluaiseann an t-iarann go mall
thar an éadach
is dírítear gach roc ann.

Tá súil agam go mbeidh cúrsaí eadrainn
chomh réidh sin, a stór.

A Moment, One Morning

One morning
the scent
of ironing
in your apartment
on Hanover Quay,
you standing beside
the board pressing
your clean shirt
for work, with me
watching you closely.

The iron rides
slowly
over the fabric
and smoothes every
wrinkle. My love,
let everything
between us
move as evenly.

Taom

Cluinim thú ag glaoch orm go fóill,
ag glaoch m'ainm,
go híseal séimh,
go ceanúil
ar sciatháin na gaoithe
is mé i gcéin uait.

Buaileann eatal bhá mé,
taom imní, taom ciontachta
is taom dóláis.

Shiúil mé amach ort
is choscair sé an croí ionam.
D'imigh mé ort,
ba ghual mo chroí.

Ná tar i mo chóngar.
Ná leag lámh orm.
Ná labhair liom.
Ná glaoigh orm.
Ná hamharc orm.

Swell

I can still hear you calling me,
calling my name
from near beyond reach,
quietly calling, and me
far away on the wings of the wind.

A fit overwhelms me —
one wave of worry,
the next of shame,
another of sorrow.

I walked out on you,
it cut me to the marrow.
I moved away,
it cut me to the core.

Don't come within a mile
of me, nor lay
a hand near me. Don't say
a single word to me.
Don't cry out.
Don't even throw an eye my way.

Cianghrá

Ar shnáth sin na himní —
cianghrá —
ciapadh na n-éan
nach bhfilleann.

Long-distance Love

On that thread of worry
love on a wrack
the torment of birds
that don't come back.

Fírinne

Titeann focla fuara, fanna, folmha uainn.
Teipeann orthu.
Ní thig leo cur síos ar rud ar bith
ná fírinne a insint.

Tagann riastradh orthu,
múchtar iad sa tost
ag deora, ag bréaga;
plúchtar iad ag cumha.

Scaiptear iad i gceobhrán.
Reonn siad ionainn,
na hoighearfhocla searbha.
Faigheann siad bás linn.

Cuirtear iad sa chré
ina gcorpáin,
na focla rúnda,
ina bpríosúnaigh gan éalú.

Cuirtear iad faoi ghlas
cé gur mhaith leo eitilt ar nós éanacha
saor lena sciatháin a leathnú
thar imeall na spéire.

The Whole Truth

Faint, feeble and cold,
words fail.
No truth can they tell
nor thing detail.

Dulled and deadened
by silence, they wind
and warp, by tears and lies
stifled, out of mind

with grief. In a mist
they're dispersed.
Inside us they freeze,
bitter words at their worst.

With us they decease. Like corpses,
they're placed into the ground.
Code words in a cell,
securely bound

under lock and key,
though like birds they would fly,
spreading wings freely
at the far ends of the sky.

Meán Lae, ag Uaigh an Chaomhánaigh

Inis Caoin, Muineachán.

Bhí capaill dhonna ar na cnoic
is blaincéid orthu,
bhí cloigín ag bualadh in imigéin
clog sin na n-aingeal, is préacháin ag cágadh
os ár gcionn

is amuigh faoin aer úr,
léigh muid do dhánta don tslua,
bhí madadh dubh ar fán
i measc na gcloch cinn is na dtuamaí
mar a bheadh do thaibhse ann.

Bhí grian íseal gheimhridh
ag lonrú aníos orainn
ar feadh scaithimh:
ba mhacasamhail do mhiongháire í.

Bhí meán lae ann
nuair a léigh muid duit, a Fhile,
an tráthnóna úd i mí na Samhna.

Is bhí píobaire rua
ag seinm os cionn d'uaighe,
ag casadh amach nótaí neimhe
'An Chúilfhoinn' mar bhean sí ar an ghaoth.

In the Middle of the Day

at the Kavanagh Grave, Inniskeen, County Monaghan

Bay horses in a hill field
with horse blankets strapped
to them. Far in the distance
a bell clapped

its tinkle
of the Angelus —
a crow was croaking
over us.

And in the bracing air
we read your poems aloud
while a black hound strayed
as if your ghost in a shroud

were there among the graves
and gravestones as, like a wan smile,
winter's low sun
shone on us a while.

It was noon in November
when we read to you, Poet.

At the foot of your resting place
a piper with red hair
sprinkled heavenly notes of 'The Coolin'
like a banshee through the air.

Eiscimigh

Nuair a thagann
a gariníon
ar an saol,
imíonn a máthair mhór
amach ón íoglú,
amuigh sa sioc,
amuigh san oighear,
is suíonn
i bhfuacht an tsneachta
go siocfar chun báis í.

Seoltar a corp amach,
ar oighearshruth,
ar snámh.

The Inuit

When she comes along,
the granddaughter,
her grandmother
has to go,
out from the igloo,
out onto the ice,
to sit, till she dies
of the cold,
in the perishing snow.

Then her body's borne out
and set adrift
on a floe.

Capall Bán

do mo mháthair

Tá capall bán fút, a chroí,
capall bán na síoraíochta,
capall bán an tsuaimhnis,
capall bán na séimhe.

Ná bíodh ort aon sceimhle.
Beir greim ar a mhoing.
Capall bán, caoin fút,
capall ceannann fút.

Coinnigh greim air
is tú ag dul thar tairseach.
Caithfidh tú gabháil
thar tairseach.

Sin an méid, a chroí
is beidh do chapall bán fút,
nuair a théann tú go dtí tír na meala
nach bhfuil gol inti go fóill.

The Old Grey Mare

You are riding the old grey, my dearest,
the old grey of all time,
the old grey that's well broken,
the old grey of such quiet temperament.

Fear or fret not a whit.
Grab a hold of her mane,
and you astride the old grey mare,
on the back of the old grey

with a blaze on her forehead.
Hold on tight as you cross
the threshold, for to cross
the threshold you're fated.

That's the all of it, my dearest,
and the old grey will transport you well
when you go to those Elysian Fields
where a tear has yet to fall.

Fómhar

CRAOBH LIATH

I measc na mbeitheanna geala
amharcaim amach
ar ghort órga.

GEALACH NA GCOINLEACH

Le clapsholas corcairghorm,
ar an bhealach romhainn sa spéir,
rian na gealaí báine.

Harvest

CREEVLEA (GREY BRANCH OR BOUGH)

From a grove of white
birches I plenish my sight
with a field of bright

gold.

HARVEST MOON

In an orangy twilight,
before us and skyborne,
the moon in its bright

cycle.

Trasnú na Teorann

TOST

Cibé rud a deir tú,
ná habair a dhath.

Coinnigh do chloigeann thíos
is do bhéal faoi ghlas.

Bíonn dhá insint ar scéal
agus dhá leagan déag ar amhrán

ach anseo, thart ar an teorainn,
tá ár mbealaí féin againn is scéalta gan insint.

Scéalta gan insint,
cód tosta
omertà.

Tarlaíonn sé in achan chaidreamh foréigneach.

Border Crossing

SEALED LIPS, NE'ER A WORD

Whatever you say
say   .

Keep the head down,
the mouth shut.

There are differing ways
of telling a tale

and a dozen at least
of saying a song.

But
here, hard by the border,

we've our own manner
of carrying on.

Stories untold,
borne to the grave.

It's *omertà*, that code
of silence that pervades

when violence permeates
any and every intimate

pairing. That's what goes on,
that's just the way.

TEORAINN

Iarrann sé uirthi seasamh amach ón ghluaisteán
le go gcuirfidh sé ceisteanna uirthi.
Féachann a triúr iníonacha amach an fhuinneog ar a máthair
agus ar ghunnaí na saighdiúirí.

Cá bhfuil do thriall?
Cad as a bhfuil sibh ag teacht?
Agus cén fáth?
a fhiafraíonn an saighdiúr di go borb,
Cad is ainm duit? Cá bhfuil cónaí ort?

Níor fhreagair mo mháthair aon rud chomh ciúin cúramach
  ina saol
roimhe sin nó ina dhiaidh.
Tá mé díreach i ndiaidh cuairt a thabhairt ar mo mháthair,
  a deir sí,
seanmháthair na gcailíní i dTír Eoghain.
Agus anois tá mé ag dul thar an teorainn
go Scairbh na gCaorach.

Níos déanaí suíonn sí sa chistin ag caitheamh fiche *Silk Cut*
ag déanamh buairimh is machnaimh
agus ag iarraidh an eagla roimh an *Shed* mór a chur di.

BORDER (THE LIMIT)

He asks her to step out of the car
for a moment — just a few questions.
Her three little angels stare
at their mother through the window,
at the soldiers' sub-machine guns.

Where are you coming from?
Where are you going?
And why? And to what end?
The pup of a squaddie demands,
What's your name? Where do you call home?

In all her days my mother had never
so quietly and carefully responded.
I'm after seeing my mother, said she,
the wee ones' granny in County Tyrone.
Now I'm crossing the border

for Emyvale, heading home.
Later she sits in the kitchen,
working her way through twenty Silk Cut,
a huddle of worry, a bundle of bother,
and struggling to banish the dread

of the 'Big Shed' at the border.

MOILL

Oíche eile agus muid ag trasnú na teorann
ag Achadh na Cloiche,
dúradh linn teacht amach as an charr.
Chuaigh na fir ag cuardach sa bhút,
faoin charr agus in achan áit eile.
Bhí muidne triúr cailíní beaga
lineáilte suas i gcoinne an bhalla.

Ag amanna mar sin foghlaimíonn tú
an dóigh le bheith i do thost
go dtí gur cuid díot féin é.

Agus tógadh mo mháthair isteach sa *Shed* mór
leis an charr is fágadh muidne inár seasamh ansin
ar feadh na síoraíochta.

Tógadh an carr as a chéile.
Thóg siad mo mháthair as a chéile lena gceisteanna fosta.

Ansin tar éis uair a chloig b'fhéidir
agus gan faic aimsithe acu,
chuaigh muid ar fad ar ais sa charr arís ar ais abhaile
thar an teorainn.

Ní hionadh gurbh éigean má bhí mo mháthair ábalta analú.

HOLD UP

Another time crossing the border,
an evening, near Aughnacloy
we were all ordered
out of the car.
They ransacked the boot,
checked underneath,
checked everywhere.
We three little girls
were lined up against the wall.

At times such as these
you learned it's best to be quiet
until it became second nature,
part and parcel of you.

And they took my mother
into the Big Shed,
her and her car,
and left us standing there
for what was an age.

They took the whole car apart
and, with steady gestures and routines,
dismantled my mother too.

Then after maybe that endless hour
and them after finding nothing
we all got back into our seats
and headed home across the border.

Is it any wonder my mother
could hardly catch her breath?

TRASNÚ NA TEORANN

Ní raibh sé riamh chomh holc
nuair a bhí m'athair sa charr
dár dtiomáint trasna na teorann.
Bhraith muid ar fad níos sábháilte.
Ní raibh an eagla chéanna orainn.
Ba shuaimhní é féin ná mo mháthair thuaisceartach
a bhí ite i gconaí ag an imní.

Ba ghnách linn fiú jócanna a insint
sna mílte roimh an seicphointe.
Ach níorbh fhada go ndeirtí linn dúnadh suas
mar dar ndóigh bhí siad ag éisteacht linn.
Bhí duine éigin i gcónaí ag éisteacht.

Mar sin bhí ort a bheith an-chúramach faoin mhéid a
  dúirt tú.
Ní raibh áit ann don gháire, don cheol Gaelach ná don
  Ghaeilge.

Ba bhinn béal ina thost.

BORDER CROSSING

It was never as bad
when my father was in the car
and us driving across the border.
We always felt more secure.
We'd none of that same fear.
He'd be calmer than Mother,
and she from the North,
a tangle of nerve ends.

We'd even chance a joke or two
in the miles before the checkpoint.
But it wouldn't be long before
we were told to keep whisht
because, of course, they were listening
to us. There was always someone listening in.

That's why you'd to be so careful
about what you said.
That was no place for laughter, or Irish music or —

indeed — Irish itself. The sweetest sound was silence.

DROICHEAD THUAMA

15 Lúnasa

Féachaim amach an fhuinneog
ó óstán m'aintín, *The O'Neill Arms,*
am éigin sna hochtóidí
agus mé thart ar dheich mbliana d'aois,
mo sheanmháthair taobh liom
i measc na lilí bána taobh thiar de chuirtíní veilbhite,
in aice an *grand piano.*

Ar an tsráid amuigh tá daoine ag máirseáil
le banna ceoil
is cuirtear an *Union Jack* trí thine —
tá Roddy Mc Corley ag dul chun a bháis arís.

TOOMEBRIDGE (AN ANNIVERSARY)

August 15th

I peer through the window
of my auntie's hotel, The O'Neill Arms.

It's some time in the '80s
and I'm about ten.
My grandma's beside me

surrounded by Easter lilies,
behind velvet curtains,
by the baby grand.

Down below in the street
people are marching
to a band.

Someone sets fire to a Union Jack.
Roddy McCorley's bound
to do the dance of death again.

DROIM MÓR

Tá cuimhne agam ar theach mo sheanmháthar
i nDroim Mór, gar d'Ard Bó agus do Bhaile an
Stíobhartaigh.

Tá cuimhne agam ar a húllord,
laethanta ár n-óige ag súgradh faoi na bláthanna,
is ar Choille Cholpa is ar Loch nEathach.

Tá cuimhne agam ar ghrá mo sheanmháthar
is an tine ar lasadh ina seomra suí,
an tsubh cuiríní dubha a rinne sí is boladh an tae.

Chuige sin, b'fhiú gach trasnú teorann,
gach ceistniú is gach moill.

DROMORE

I mind my grandmother's place
above in Dromore, near Stewartstown
and Devlins' Ardboe.

I mind the orchard there,
halcyon days played out
beneath the apple blossom.

I mind Killycolpy and the Lough.
I mind my grandmother's enveloping
love, a fire ablaze in the drawing room.

I mind her homemade blackcurrant jam
and the smell of wet tea.
All this makes every border crossing

worth its while,
every question and quiz,
every hold up and delay.

Focal Buíochais

Tá buíochas ag dul do lucht eagair na bhfoilseachán a leanas as na dánta seo nó leaganacha díobh a chur i gcló ar dtús: *Crithloinnir* (Coiscéim, 2010), *An Bhrídeach Sí* (Coiscéim, 2014) agus *Calling Cards* (The Gallery Press/Éigse Éireann, 2018) le haistriúcháin ó pheann Peter Fallon.

Acknowledgements

Acknowledgements are due to the editors of the following publications where some of these poems, or versions of them, were published first: *Crithloinnir* (Coiscéim, 2010) and *An Bhrídeach Sí* (Coiscéim, 2014) and with translations by Peter Fallon in *Calling Cards* (The Gallery Press/Poetry Ireland, 2018).